Théo et Raphaëlle

en tête
Manuel de l'élève C
Français, 1er cycle

Denise Gaouette
en collaboration avec
Bernadette Renaud

ERPI
ÉDITIONS DU RENOUVEAU PÉDAGOGIQUE INC.

5757, RUE CYPIHOT
SAINT-LAURENT (QUÉBEC)
H4S 1R5

TÉLÉPHONE: (514) 334-2690
TÉLÉCOPIEUR: (514) 334-4720
COURRIEL: erpidlm@erpi.com

*Nous tenons à remercier pour leurs textes
les auteurs suivants:*
Cécile Gagnon, p. 25 à 27
Jacqueline Lemay, p. 21, 54, 85, 111
Suzanne Pinel, p. 24
Bernadette Renaud, p. 21 à 23, 40-41, 68-69,
82 à 84, 92-93, 98-99, 108-109
Robert Soulières, p. 42 à 44, 55 à 57

La neige qui ne voulait pas neiger (p. 112 à 116)
est une adaptation d'un texte écrit
par Denise Gaouette en 1979 dans l'ouvrage
intitulé *Fantaisies*, Éditions Projets inc.

Consultation pédagogique
Nancy Beaudin
Joceline Despins

Révision linguistique
Nicole Côté

Conception graphique, infographie
et réalisation technique
 Miller Graphistes Conseils inc.

Couverture
Conception: E:RPI
Illustration: Monique Chaussé

Illustrations
Aide-mémoire: Benoît Laverdière
Personnages principaux: Monique Chaussé
Superlux: Claude Lapierre

Doris Barrette, Diane Blais, Fanny Bouchard,
France Brassard, Christine Caron,
Anne-Marie Charest, Monique Chaussé,
Jacqueline Côté, Danièle Dauphinais,
Josée Dombrowski, Benoît Laverdière,
Claire Lemieux, Jean Morin, François Thisdale

Peinture
Pauline Paquin, p. 106

Photographies
Claude Bureau et associées inc., p. 20
Caserne n° 2 des pompiers de Sherbrooke, p. 96-97
Bernard Cloutier, p. 5
Jardin botanique de Montréal:
Marie-Claude Dionne et Pierre Perreault, p. 48
André Morneau, p. 74-75, 104, 107

Dépôt légal: 1er trimestre 2000
Bibliothèque nationale du Québec
Bibliothèque nationale du Canada

IMPRIMÉ AU CANADA   1 2 3 4 5 6 7 8 9 0 FR 0543210
ISBN 2-7613-1175-2   10384 ABCD   LM12

Mode d'emploi

	Tâche reliée au projet de l'unité
	Tâche complémentaire

 Parle, lis ou écris
en tenant compte de l'intention.

 Trouve des indices.

 Clés en lecture

• Mots à orthographier
• Lettres à calligraphier

 Réponds oralement.

 Mime.

 Utilise l'ordinateur.

 Utilise une feuille ou un cahier.

 * Place des jetons,
des cubes ou un acétate.

* À mesure que les élèves
développeront leur habileté à écrire,
on pourra remplacer cette tâche par:
**Écris ta réponse sur une feuille
ou dans ton cahier.**

 Activité de réinvestissement

 Chanson

 Texte littéraire québécois

 Mot relié au livre
Mélissa et ses amis

 Mot relié au livre
Théo et Raphaëlle

Bonjour,

Voici ton livre Théo et Raphaëlle.

J'ai composé des histoires amusantes
avec des nouveaux personnages.
Tu vas connaître les cousins de Mélissa,
leur gros chien, leur famille et leurs amis.

Je te propose des projets pour t'aider
à mieux lire, à mieux écrire
et à mieux communiquer par la parole.

Amuse-toi à lire tes histoires préférées
à tes amis, à tes parents
et à tes grands-parents.
Écris souvent des petits mots d'amour
aux gens que tu aimes.
Utilise la poste, le télécopieur
ou Internet.

Je te souhaite
beaucoup de plaisir
avec ce nouveau livre.

Denise Gaouette

Table des matières

Ma santé

3

Les cadeaux

4

Voici un petit jeu
pour survoler
ton nouveau livre.

Joue au détective
et trouve vite...

⭐ ce chien    ⭐ cette chatte

⭐ cette fille 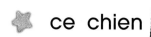   ⭐ ce bébé

⭐ ce personnage    ⭐ ce garçon

⭐ des dinosaures   ⭐ des autobus

⭐ des citrouilles   ⭐ une sorcière

⭐ des pompiers   ⭐ des aliments

⭐ des pères Noël   ⭐ des poupées

⭐ un bonhomme de neige

Bonjour, c'est moi !  1

Dans l'unité 1,
Théo et Raphaëlle
vont te parler :
- de leurs goûts,
- de leur famille,
- de leur animal,
- de leur maison,
- de leur été.

Voici ton projet de l'unité **1**: un album de classe.

Fabrique avec tes camarades un album de classe à présenter aux parents.

1 Choisis parmi les idées suivantes :

1

Je me présente.
J'utilise une comptine, une fiche ou une devinette.

2

Je présente ma famille.
J'utilise une bande dessinée.

3

Je présente mon animal.
J'utilise une comptine.

4

Je présente la maison de mes rêves.
J'utilise un plan.

5

Je présente des souvenirs de mon été.
Je classe mes souvenirs par thèmes ou sur une ligne du temps.

Les textes de l'unité **1** vont te donner des idées.

2 Fabrique un album de classe original avec ta présentation et celles de tes camarades. Utilise des dessins, des photos, des découpages et des collages.

3 Présente cet album à tes parents.

Un cirque à l'école

Dans la cour de l'école,
il y a un magicien et des clowns.
Sako a changé d'école.
Je suis un peu triste.

Amélie a reçu un ballon rouge
comme le mien.
Elle va être dans ma classe.
Je suis contente.

Bruno ne sera pas mon enseignant.
J'ai de la peine.
Devinez comment j'ai fait
pour trouver mon enseignante !

Mon grand-papa participe à la fête.
Je suis folle de joie.
Devinez ce que mon grand-papa
cache sous son manteau !

Téléphone à un élève
ou à une élève
d'une autre école.
Demande-lui de te parler
de la rentrée à son école.

 Compare la rentrée de Mélissa à l'école
avec la tienne.

3

Peux-tu me reconnaître ?

Je m'appelle Raphaëlle.
J'ai 7 ans.
Je suis dans la classe d'Estelle.
Je suis la soeur jumelle
de Théo.
J'ai une tache
de naissance sur le bras.
Je suis gauchère.

Je m'appelle Théo.
J'ai 7 ans.
Je suis dans la classe d'Estelle.
Je suis le frère jumeau
de Raphaëlle.
J'ai une rosette
dans les cheveux.
Je suis droitier.

4

1 Dis ce que Théo et Raphaëlle ont de semblable.

2 Dis ce que Théo et Raphaëlle ont de différent.

C'est moi !

Écris un texte pour te présenter aux nouveaux élèves de ta classe.

Tu peux choisir parmi les modèles suivants :

Une comptine

Je m'appelle Laurence Cloutier.
J'adore me déguiser.
Mon chat s'appelle Caramel.
Il aime fouiller dans les poubelles.

Une fiche

Je m'appelle Félix.
J'ai 8 ans.
Je suis un garçon comique.
Mon anniversaire,
c'est le 2 septembre.

Une devinette

Je suis une fille.
J'aime jouer dehors.
Je n'aime pas les chiens.
Plus tard, je veux être astronaute.
Qui suis-je ?

Léa

Révise ton texte.

As-tu accordé les déterminants avec les noms ?

les poubelles

Voici la famille des jumeaux.
Lis le texte pour découvrir les membres de leur famille.
Associe chaque bulle au bon prénom.

Le groupe des dix

Qui suis-je ?

1 Je suis pompier.
J'aime beaucoup cuisiner.
Je n'aime pas magasiner.

Mireille

Laurent

Raphaëlle

Théo

Quatre-Sous

Qui suis-je ?

6

2 Je suis illustratrice.
J'aime fabriquer des meubles.
Je n'aime pas faire le ménage.

Qui suis-je ?

3 Je suis une grand-maman.
Je vais à l'école le soir.
J'aime faire de la photo.
J'ai une chatte
et une perruche.

Qui suis-je ?

4 Je suis une fille de 11 ans.
J'aime garder le bébé
de la voisine.
Je n'aime pas dessiner.

Qui suis-je ?

5 Je suis un bébé.
J'ai 1 an.
J'aime jouer
avec mon gros chien.

Présente les talents
des membres de ta famille.
Utilise une bande dessinée.

Commence un bottin
de personnes-ressources
pour la classe.

7

Voici le chien des jumeaux.
Lis le texte pour connaître cet animal.

Pollus

Quand je suis fâché contre toi,
je t'appelle «vilain sac à puces»!
Quand je suis ami avec toi,
je t'appelle «gros toutou en peluche»!

Tu raffoles des promenades en auto.
Mais, même si tu fais le beau,
non, non, non, Pollus,
tu ne monteras pas dans l'autobus.

Parfois, je t'amène dans ma cachette,
dans ma chambre sous ma couette.
Je te raconte ce qui m'attriste,
car tu es mon seul complice.

Cher ami Pollus,
tu seras toujours ma coqueluche.

Avec l'aide d'une grande personne,
compose une comptine sur ton animal préféré.
Utilise des mots qui riment.

8

Je sais lire.

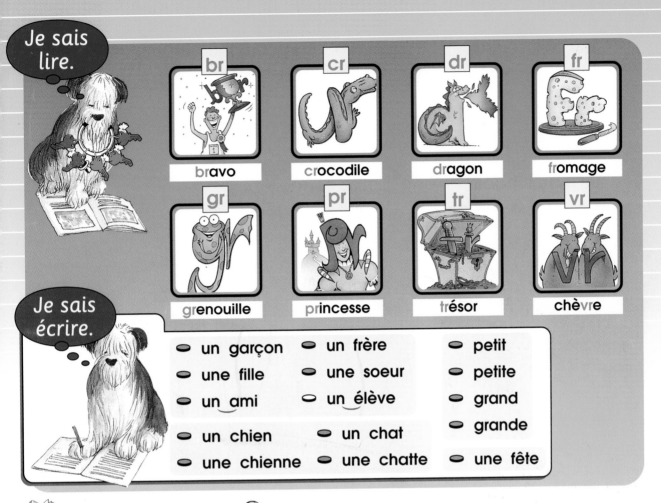

br	cr	dr	fr
bravo	crocodile	dragon	fromage

gr	pr	tr	vr
grenouille	princesse	trésor	chèvre

Je sais écrire.

- un garçon
- une fille
- un ami
- un chien
- une chienne

- un frère
- une soeur
- un élève
- un chat
- une chatte

- petit
- petite
- grand
- grande
- une fête

Lis le texte.

Mime l'histoire du dragon.

Un dragon cuisinier

Le dragon prépare une salade de fruits.
Il tranche des fraises et des prunes.
Il place les fruits dans une cruche.
Il ajoute un peu de sucre
et beaucoup de jus de citron.

Le dragon goûte
à sa salade de fruits.
Il grimace.
Devine pourquoi.

9

La maison des jumeaux

Les jumeaux habitent une petite ferme.
La maison est en bois.

Au rez-de-chaussée de la maison, il y a le salon,
la chambre des parents, la chambre de Do Ming,
la cuisine et les toilettes.

À l'étage, il y a la chambre des jumeaux,
la chambre de Camille, l'atelier de la maman
et la salle de bains.

Au sous-sol, il y a la salle de jeu,
la pièce de rangement et l'atelier de menuiserie.

Au-dessus du garage, il y a le logement
de la grand-maman. Elle habite
avec sa chatte et sa perruche.

À côté de la maison, il y a une vieille grange.

10

Trouve les pièces de la maison
qui sont illustrées à la page 11.

Fais des recherches
sur des maisons d'ici et d'ailleurs
à la bibliothèque ou dans Internet.

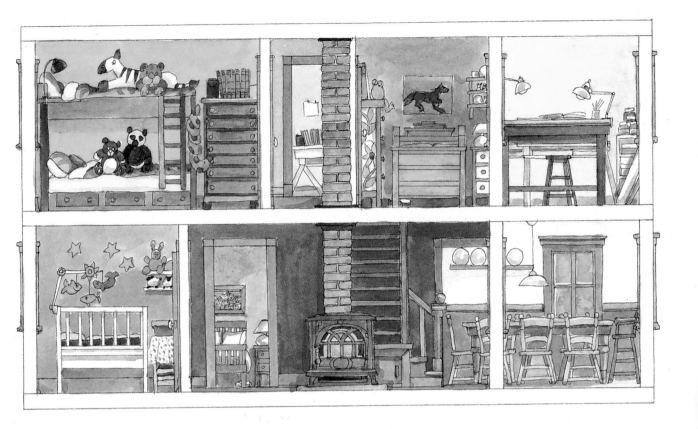

La maison de mes rêves

Imagine la maison de tes rêves.
Écris un texte pour décrire
cette maison à tes amis.

Tu peux utiliser le modèle suivant :

J'habite une maison en...
Dans ma maison, il y a...
Dans ma chambre, il y a...
À côté de ma maison, il y a...

Souvenirs de vacances

Une exposition de peinture

Maman expose ses toiles
dans un musée.
J'aide maman à recevoir
ses invités.

La fête de Josèphe

Le parrain de Josèphe
a organisé une fête-surprise
autour de sa piscine.
Josèphe s'amuse
avec son cadeau de fête.

Une épluchette de blé d'Inde

La troupe des Castors a préparé
une épluchette de blé d'Inde
pour les parents.
Je mange deux épis
et Pollus en mange un.

 Juin

Une visite à la ferme

Gabrielle me présente
le porcelet de sa tante.
Zozo est tout rose
et chatouilleux. Il grogne.
Il court très vite.

 **Juillet**

Un festival de folklore

Je regarde la troupe
de danse amérindienne.
Je danse avec Do Ming
et grand-maman.

 **Août**

Un tournoi de balle molle

J'ai joué à la balle molle
avec mes amis.
Mon équipe a gagné
le championnat.
J'embrasse le trophée.

Prépare un carnet de souvenirs
de tes vacances.
Présente le carnet à ton enseignante
ou à ton enseignant de l'an passé.

 Raconte ce que les jumeaux
ont fait chaque mois.

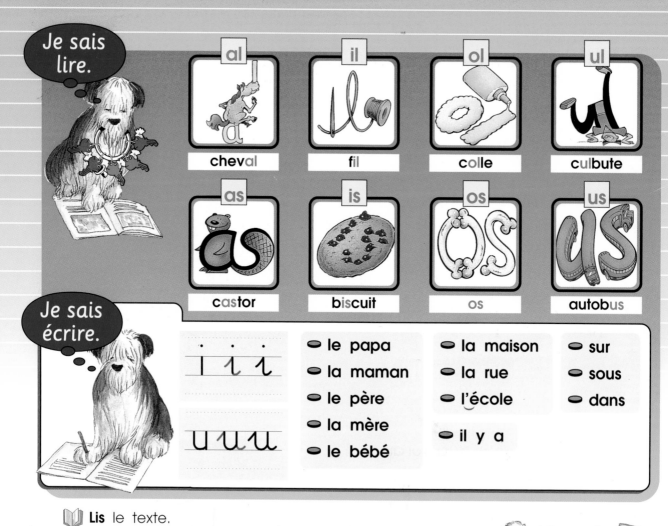

al	il	ol	ul
cheval	fil	colle	culbute
as	is	os	us
castor	biscuit	os	autobus

i i i

u u u

- le papa
- la maman
- le père
- la mère
- le bébé
- la maison
- la rue
- l'école
- il y a
- sur
- sous
- dans

📖 **Lis** le texte.

📄✏️ **Dessine** ce qu'il y a dans la valise du clown.

Une grosse valise

Dans la valise du clown Virgule,

il y a :

- un petit camion,
- un cheval en peluche,
- une bobine de fil,
- un bol,
- une cage à oiseaux,
- une rose.

14

Quels sont tes goûts ?

Nom :

1. Qu'est-ce que tu aimes à l'école ?
2. Qu'est-ce que tu n'aimes pas à l'école ?
3. Qui sont tes meilleurs amis ?
4. Qu'est-ce que tu aimes faire pendant la fin de semaine ?
5. Quel est ton animal préféré ?

Nom : Raphaëlle

1. J'aime travailler à l'ordinateur.
2. Je n'aime pas les règlements.
3. Mes amis sont Théo et Gabrielle.
4. J'aime jouer à des jeux vidéo.
5. Mon animal préféré, c'est le dinosaure.

Nom : Théo

1. J'aime aller à la récréation.
2. Je n'aime pas les chicanes.
3. Mes amis sont Raphaëlle et Alfred.
4. J'aime jouer au ballon.
5. Mon animal préféré, c'est l'araignée.

15

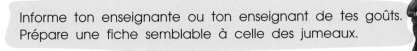

Informe ton enseignante ou ton enseignant de tes goûts.
Prépare une fiche semblable à celle des jumeaux.

L'école des Mille-Feuilles a été rénovée pendant l'été.
Les jumeaux ont écrit à leur directeur pour lui dire
ce qu'ils pensent de leur école.
Lis les messages pour connaître leur opinion.

Ce n'est plus la même école !

Fernand,

Je trouve l'école très belle.
J'adore le nouveau gymnase.
J'aime les espaliers,
les cordes à noeuds
et le trampoline.
J'aime aussi la salle
d'ordinateurs.

Raphaëlle

Fernand,

Je trouve que l'école
a bien changé.
Je raffole des nouveaux jeux
dans la cour de récréation.
J'aime les balançoires
et les glissoires.

Théo

1 Dis ce que Théo et Raphaëlle aiment de leur école.

2 Compare l'école des Mille-Feuilles avec la tienne.

Demande à ton directeur
ou à ta directrice
de te raconter l'histoire
de ton école.

Estelle a questionné ses élèves sur leurs travaux à la maison.
Lis le texte pour savoir comment les jumeaux préfèrent travailler.

Les devoirs et les leçons

Théo fait ses devoirs
quand il arrive de l'école.
Il s'installe dans sa chambre
pour ne pas être dérangé.
Il commence toujours
par les activités les plus faciles.

Quand Théo a besoin d'aide,
il consulte sa mère,
sa grand-mère
ou son gardien.

Raphaëlle fait ses devoirs
après le souper.
Elle s'installe dans la cuisine
pour ne pas être seule.
Elle commence toujours
par les activités les plus difficiles.

Quand Raphaëlle a besoin d'aide,
elle téléphone à son amie Gabrielle.
Parfois, elle consulte aussi
sa grande soeur Camille.

Dis ce que tu penses
des façons de travailler
de Théo et de Raphaëlle.

Questionne tes amis
sur leurs méthodes de travail :
• *Quand font-ils leurs travaux ?*
• *Où font-ils leurs travaux ?*
• *Comment travaillent-ils ?*
• *Qui les aide ?*

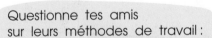

17

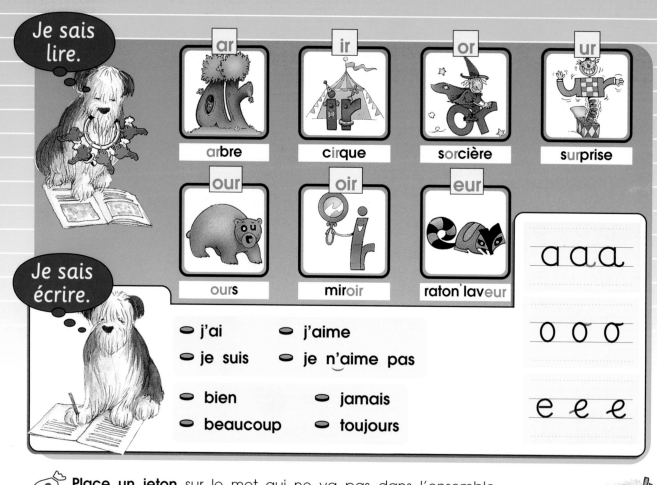

Je sais lire.

ar	ir	or	ur
arbre	**cir**que	**sor**cière	**sur**prise

our	oir	eur
ours	**mir**oir	raton laveur

Je sais écrire.

- j'ai
- je suis
- j'aime
- je n'aime pas

- bien
- beaucoup
- jamais
- toujours

a a a

o o o

e e e

Place un jeton sur le mot qui ne va pas dans l'ensemble.

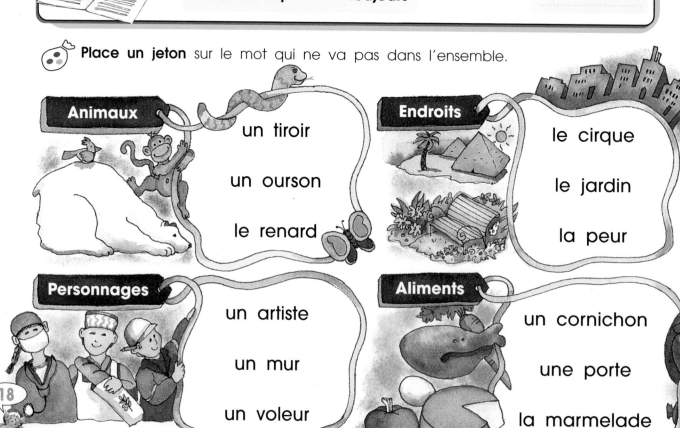

Animaux

un tiroir

un ourson

le renard

Endroits

le cirque

le jardin

la peur

Personnages

un artiste

un mur

un voleur

Aliments

un cornichon

une porte

la marmelade

Quels apprentissages
as-tu faits
dans l'unité **1** ?

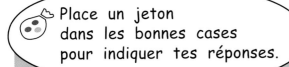

Place un jeton
dans les bonnes cases
pour indiquer tes réponses.

	oui	un peu	non
J'ai appris à dire : • ce que j'aime ; • ce que je n'aime pas ; • ce que je pense ; • ce que je ressens.			
J'ai appris à connaître : • mes talents ; • mes limites ; • mes possibilités.			
J'ai appris à comparer : • mes idées avec celles de mes camarades ; • mes goûts avec ceux de mes camarades.			
J'ai appris à participer au travail d'équipe en coopération.			

À la fin de l'unité **1**, je me sens...

Zoé se fait photographier.
Lis le texte pour savoir si la photographe est patiente avec Zoé.
Mime avec quelqu'un la scène entre Zoé et la photographe.

La photographe à l'école

La photographe est là.
Et me voilà !
Bien reposée, bien lavée,
bien habillée, bien coiffée.
C'est à mon tour d'être photographiée.

1re photo
Je rigole.
Elle s'affole.

2e photo
Je grimace.
Ça l'agace.

3e photo
Je m'endors.
Elle crie fort.

4e photo
J'imite un superhéros.
Elle dit :
— Cesse de voler
    comme un oiseau.

5e photo
Youpi ! je souris,
car je dis
« kiwi, souris,
biscuit, merci,
taxi ».

Ne t'en fais pas.
La photographe, c'est...
ma maman.

La maman des jumeaux a dessiné un nouveau personnage.
Lis la chanson de Jacqueline Lemay
pour connaître le personnage inventé par Mireille.

SUPERLUX

Tu trouveras une de mes bandes dessinées dans chaque unité.
Superlux

Refrain

Superlux,
dans tes yeux, il y a des étoiles.
Superlux,
je te comprends quand tu me parles.

1 J'ai un ami extraordinaire
qui porte un nom pas ordinaire :
Superlux comme lumière.

Il voit d'avance ce qu'il faut faire.
Il pense aussi vite que l'éclair.
Superlux, il a du flair.

Quand je m'approche d'un danger,
il arrive et m'aide à penser
juste à temps, pour l'éviter.

2 Superlux lit dans mon coeur.
Il connaît mes désirs, mes peurs.
De mes amis, c'est le meilleur !

Grâce à lui, je sais penser,
rester calme et m'arrêter
pour éviter de me blesser.

Il me ressemble aussi parfois,
surtout quand il parle à son chat.
Superlux est comme moi.

21

Les aventures de
SUPERLUX
En retard à l'école

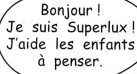

Bonjour !
Je suis Superlux !
J'aide les enfants
à penser.

Frida est songeuse.

Parler de moi
aux élèves
de la classe,
c'est difficile !

Frida est rêveuse.

Je pourrais dire
que j'aime
me déguiser.

Superlux cherche Frida.

Mais
où est Frida ?

ENTRÉE INTERDITE
SUR LE CHANTIER

Frida est fascinée
par le travail des ouvriers.

Frida est contente.

Hourra !
J'ai trouvé ce que je vais dire !

Frida s'installe confortablement.
Elle commence à écrire.

Plus tard,
je serai
une grande
architecte.

Superlux voit d'avance
ce qui pourrait arriver.

Oh ! non !
Frida va être en retard
à l'école.

Frida sursaute.

Zut ! je vais
être en retard !

Frida regrette d'avoir flâné si longtemps.
Elle se dépêche.

Quand je suis en retard,
je dérange toute ma classe.
C'est important
d'arriver à l'heure !

23

Voici une chanson sur le désordre d'une chambre.
Lis la chanson de Suzanne Pinel.
Essaie de l'apprendre par coeur.

Tout est en désordre !

Refrain

**Tout est en désordre.
Quel méli-mélo !
Avec un peu d'ordre,
ce serait plus beau.**

1 Je suis partie ce matin
sans couvrir mon lit.
Mes draps, mon oreiller
sont sur le plancher.

2 Tous mes vêtements
débordent de mes tiroirs.
Je ne peux plus fermer
les portes de mon armoire.

3 J'ai perdu mon cahier,
mon livre et mes crayons.
Si je les avais rangés,
je pourrais les trouver.

Commence
un cahier
de chansons,
de comptines
et de poèmes
pour la classe.

24

Cécile Gagnon

Voici une histoire que j'ai composée pour toi.
Lis cette histoire avec tes amis.

Un sourire qui répare tout

Cet été, Thomas a perdu deux dents du haut.
Il se trouve affreux... L'été est fini et, ce matin,
c'est la rentrée scolaire.

Avant, Thomas avait hâte de retourner à l'école.
Maintenant, il n'a plus hâte du tout :
il a un grand trou dans la bouche.
«Tout le monde va rire de moi, pense-t-il.
C'est décidé, je ne vais pas à l'école.»

25

Thomas se cache sous son lit, le plus loin possible.
Il pense à sa jolie voisine Noémie.
Elle ne porte pas de lunettes, elle.
Ses dents sont blanches et si droites...

Soudain, Thomas voit deux pieds qui s'approchent.
Son coeur bondit dans sa poitrine.
— Non, je n'irai pas à l'école, dit Thomas.

Noémie est venue chercher son ami.
Elle se penche et le découvre sous le lit.

— Hé ! Thomas ! sors de là ! dit-elle en souriant.
Thomas n'en croit pas ses yeux.
Dans le sourire de Noémie,
il y a un grand *trou* **vide** !

Main dans la main, Thomas et Noémie prennent le chemin de l'école. Gare à ceux qui vont rire de leurs sourires !

Connais-tu bien tes syllabes ?

Voici dix élèves d'une même classe.
Lis le nom des élèves.

J. R.

A. S.

F. H.-D.

M. M.

1. **Mélissa Marcos**

2. **Anastasia Adamapoulos**

3. **Charles-Antoine Mignacco**

4. **Julia Rojas**

5. **Dieudonné Solfis**

6. **Fanny Harvey-Desgagné**

7. **Mamadou Camara**

8. **Kevin Grenier-Lafrenière**

9. **Frédérique Tremblay**

10. **Alie Salahi**

K. G.-L.

M. C.

D. S.

F. T.

C.-A. M.

A. A.

Combien de noms as-tu pu lire facilement ?

Associe chaque élève à son nom.

Attention !

Dans l'unité 2,
on va te parler
des règles de sécurité :
  • en autobus scolaire ;
  • dans la cour de récréation ;
  • sur le chemin de l'école ;
  • pour le soir de l'Halloween.

Voici ton projet de l'unité **2** :
des règles de sécurité.

Présente des règles de sécurité
aux enfants de la maternelle.

1 Choisis parmi les idées suivantes :

**Règles de sécurité
en autobus scolaire**

**Règles de sécurité
dans la cour de récréation**

**Règles de sécurité
sur le chemin de l'école**

**Règles de sécurité
pour le soir de l'Halloween**

2 Trouve une façon originale
de faire ta présentation.

Exemples :

- Fais parler une marionnette ou une marotte.
- Prépare une saynète.

Les textes de l'unité **2** vont te donner des idées.

3 Trouve d'autres informations :

- Interroge un policier ou une policière.
- Fais des recherches
  à la bibliothèque de l'école,
  à la bibliothèque municipale
  ou dans Internet.

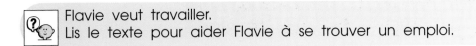
Un emploi pour grand-maman

Grand-maman cherche du travail.
Elle veut travailler près de chez elle,
environ trois heures par jour.
Elle préfère travailler assise,
car ses jambes sont un peu fatiguées.

Grand-maman regarde les offres d'emploi
épinglées sur le tableau d'affichage.
Elle note un numéro de téléphone.
Devine quel numéro Flavie a noté.

**Pour trouver le numéro,
va lire les offres d'emploi
à la page 32.**

31

Épicerie Lafleur

Offres d'emploi

1. On cherche
un jeune homme
ou une jeune femme
pour être mannequin
dans des défilés de mode.
La personne choisie
devra voyager souvent.

☎ 303-2468

2. On demande
un infirmier ou une infirmière
pour s'occuper d'un couple âgé.
La personne choisie
devra habiter sur place.

☎ 201-8863

3. On demande
un conducteur
ou une conductrice
d'autobus scolaire.

☎ 201-6798

4. On cherche
un caissier ou une caissière
pour travailler
pendant la fin de semaine
à l' *Épicerie Lafleur*.

☎ 201-9814

5. On cherche
un couturier ou une couturière
pour coudre des blousons et des tabliers
à la manufacture *Blaise*.
Travail de 8 h à 16 h

☎ 201-6538

32

Selon toi, quel emploi Flavie a-t-elle choisi?
Pourquoi?

Écris des annonces
pour inviter des personnes
à travailler dans ta classe.

 Flavie conduit un autobus scolaire depuis quelques jours.
Lis le texte pour savoir ce qui arrive ce jour-là.

Un grave accident

Flavie se débrouille bien.

Elle conduit un autobus scolaire depuis six jours.

Tout va à merveille. Elle connaît le nom

et l'adresse de chaque enfant.

Aujourd'hui, lundi, les enfants sont dans l'autobus :

il ne manque que Gabrielle.

Chez Gabrielle

Flavie arrête son autobus

devant la petite maison bleue de Gabrielle.

Comme toujours, Gabrielle n'est pas à l'arrêt d'autobus.

Flavie klaxonne : Gabrielle va peut-être se hâter.

Les secondes passent. Gabrielle n'arrive pas.

Flavie réfléchit :

« *Probablement que* Gabrielle va encore sortir
de la maison en courant.
Probablement que Gabrielle va encore arriver
avec trop de bagages : son sac à dos,
sa boîte-repas, sa poupée Églantine,
son dessin et sa pomme.
Probablement que Gabrielle n'aura pas encore
eu le temps d'attacher les lacets de ses espadrilles.
Probablement que... »

Mais Gabrielle n'arrive toujours pas.
Flavie ne peut plus attendre. Elle repart.

À l'école

L'autobus s'arrête devant l'école.
Flavie salue les enfants
tour à tour.

Fernand, le directeur d'école,
accueille les élèves.
Il fait un signe à Flavie :
il veut lui parler.
— Flavie, j'ai une triste nouvelle à t'annoncer.
  Gabrielle a eu un grave accident.
  Samedi, elle est allée à la ferme de sa tante.
  Elle jouait avec un porcelet. Tout à coup,
  le porcelet s'est mis à courir vers la rue.
  Gabrielle a voulu le rattraper. Malheureusement,
  elle s'est fait heurter par une auto.
  Gabrielle est à l'hôpital. Elle a une fracture du crâne.

Flavie est bouleversée.
— Pauvre petite !

35

Flavie pense à Gabrielle tous les jours :
«Elle doit s'ennuyer beaucoup dans cet hôpital.
Je vais faire quelque chose de spécial pour elle.»

À l'hôpital

Le dimanche suivant, Flavie rend visite à Gabrielle.
Elle est venue à l'hôpital en autobus... comme passagère.

Gabrielle se repose. Elle a été opérée.
Elle a la tête entourée d'un gros bandage.
Gabrielle restera à l'hôpital encore plusieurs jours.

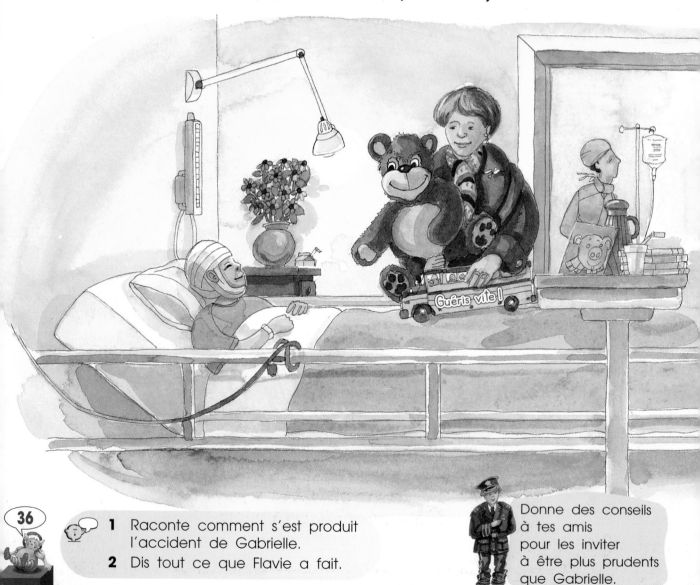

1 Raconte comment s'est produit l'accident de Gabrielle.
2 Dis tout ce que Flavie a fait.

Donne des conseils à tes amis pour les inviter à être plus prudents que Gabrielle.

Flavie a remis des messages à quelques élèves.
Lis les six messages pour savoir ce que Flavie a écrit.

Bravo, les enfants!

 Je te félicite!
L'autre jour, tu as échappé
ton dessin en sortant de l'autobus.
Heureusement, tu as continué
ton chemin sans revenir le chercher.

Flavie

2 Bravo!
Maintenant, tu places toutes tes choses
dans ton sac à dos. Tu tiens ton sac
sur tes genoux. C'est plus sécuritaire
pour toi et pour les autres.

Flavie

3 Je suis contente!
Enfin! tu as pu changer ta boîte-repas
en métal aux coins pointus.
Ta nouvelle boîte-repas en plastique
aux coins arrondis est superbe.

Flavie

37

Je suis fière de toi !
Tu me regardes avant de traverser
loin devant le pare-chocs de l'autobus.
De plus, tu regardes à gauche,
à droite, et encore à gauche
avant de traverser la rue.
C'est très bien. Continue !

Flavie

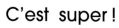
C'est super !
Tu enlèves les écouteurs de ton baladeur
avant de descendre de l'autobus. Tu sais,
c'est plus prudent d'écouter la «musique»
des automobiles et des camions.

Flavie

Je te félicite !
Tu parles à voix basse dans l'autobus.
Tu ne me parles pas quand je conduis,
même si je suis assise près de toi.

Flavie

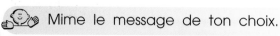
Mime le message de ton choix.

À partir des messages de Flavie,
écris des règles de sécurité
qu'il faut observer en autobus scolaire.

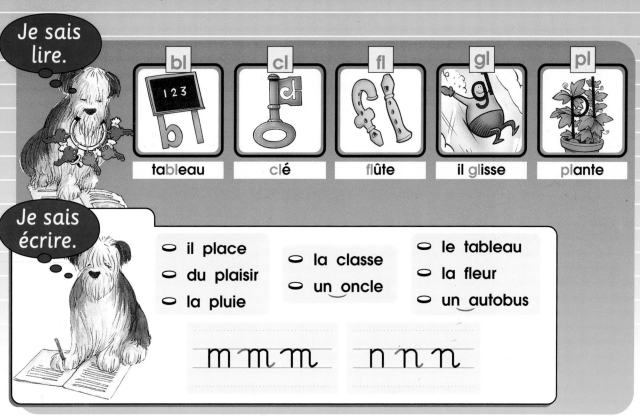

bl	cl	fl	gl	pl
tableau	clé	flûte	il glisse	plante

Je sais écrire.

- il place
- du plaisir
- la pluie

- la classe
- un oncle

- le tableau
- la fleur
- un autobus

m m m   *n n n*

📖 **Lis** le texte.   👐 **Place un jeton** sur les personnages décrits.

Des métiers différents

Florence est musicienne.
Elle joue de la flûte,
du clairon et de la clarinette.
Le dimanche, elle chante
à l'église.

Clovis est fleuriste.
Il travaille à la boutique
La rose blanche.
Il prend soin des plantes
et des fleurs.
Il répond aux questions
des clients et des clientes.

Bonjour !
Je suis Superlux !
J'aide les enfants
à penser.

Un ballon vole trop haut.
Frédéric et Lisa courent
pour le rattraper.

Vite, Lisa !

Le ballon tombe dans la rue.

Vas-y,
Frédéric !

Superlux a des yeux magiques.
Il voit venir une auto de loin.

Dans l'auto, monsieur Groleau
parle au téléphone.

Superlux voit le ballon dans la rue.
Frédéric regarde seulement le ballon.

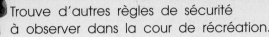
Trouve d'autres règles de sécurité
à observer dans la cour de récréation.

Superlux voit d'avance
ce qui pourrait arriver.

Oh ! non !

Frédéric lève la tête et voit l'auto.
Son visage se fige de peur.

Monsieur Groleau voit l'enfant
dans la rue, devant lui.
Son visage se fige de peur.

Attention !

Monsieur Groleau freine vite.
Frédéric retourne vite sur le trottoir.

Maintenant, je conduis
avec prudence !

Je regarde à gauche.
Je regarde à droite.
Je regarde encore
à gauche.
Je traverse ensuite
si la route est libre.

Certains élèves vivent des situations difficiles à l'école
et sur le chemin de l'école.
Lis l'histoire de Xavier pour connaître son problème
et la façon dont il va le régler.

Les malheurs de Xavier

Xavier est souvent seul.
Il n'a pas beaucoup d'amis.

À la récréation de dix heures et demie,
la bande de Willy a ri de Xavier.
Willy l'a bousculé.
Il lui a crié des noms.
Des noms qui font plus mal
que des pierres.
Willy est le chef d'une petite bande.
Il fait peur à tout le monde à l'école.

Xavier avait deux dollars
et soixante-six cents dans ses poches.
C'était pour dîner à la cafétéria.
Maintenant, Xavier n'a plus d'argent.
C'est Willy qui l'a.

Xavier n'a pas pu manger.
Il a les larmes au bord des yeux.
La colère fait battre son coeur.
Il y a trop longtemps qu'il a peur.
Il faut que cette situation cesse.
Oui, mais comment ?

À la sortie de l'école, nouvelle bousculade.
— Peureux! peureux! crient Willy et sa bande.
Xavier décide de les ignorer.
Mais ça ne fonctionne pas.
Willy lui arrache sa casquette toute neuve.
Il la lance dans la boue.

Willy piétine aussi le sac à dos de Xavier
en riant comme un fou.
Puis il montre son poing à Xavier:
— Si tu dis un mot à quelqu'un...
Willy ne termine pas sa phrase.
Xavier part en courant et en pleurant.

Ce matin, Xavier est fatigué.
Il a réfléchi toute la nuit.
Il a cherché un moyen
de régler son problème:
changer de ville?
changer d'école?
tout dire à ses parents?
tout dire au directeur?
avertir la police?
se battre avec Willy?

En route pour l'école,
Xavier fait de nombreux détours.
Mais Willy est toujours là, pas loin.
— Peureux ! peureux !
    crie Willy du bout de la rue.
Xavier décide de l'ignorer.
Il marche d'un pas ferme
vers l'école.

Xavier entre dans l'école.
Willy le suit.
Xavier frappe à la porte
du bureau du directeur.
Willy s'approche :
— Excuse-moi pour hier, dit-il.
    Voici ta casquette.
Trop tard. La porte s'ouvre.
— Oui, dit le directeur.
    Qu'est-ce que je peux faire
    pour toi, Xavier ?

Avec ton équipe,
discute du problème de Xavier.
*Penses-tu que Xavier a réglé
son problème pour de bon ?*

Fais une liste de moyens
pour aider tes camarades
à régler un problème
semblable à celui de Xavier.

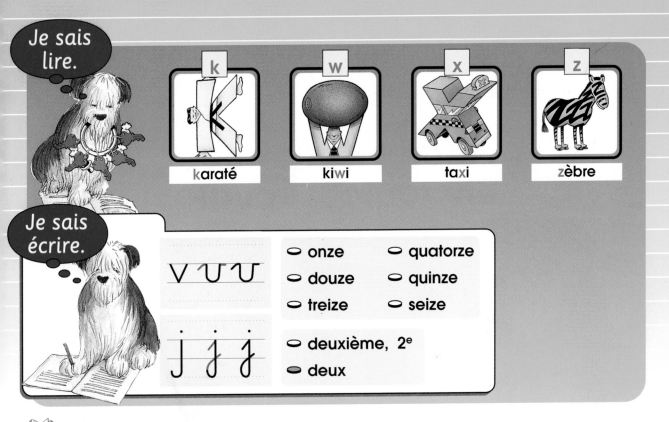

Je sais lire.

k	w	x	z
karaté	kiwi	taxi	zèbre

Je sais écrire.

V U U

- onze
- douze
- treize
- quatorze
- quinze
- seize

j j j

- deuxième, 2ᵉ
- deux

Lis le texte.
Présente le jeu sous forme de saynète avec trois amis.

Quel jeu bizarre !

Les animaux du zoo jouent à la cachette.
La gazelle Alexia dit :
— Onze, quinze, treize, quatorze, douze, seize !
Cachés, pas cachés, j'y vais pareil !
D'abord, Alexia découvre Maxime, le kangourou.
Ensuite, elle trouve Mark, le zèbre.
Pour finir, elle découvre Félix, le lézard.

Voici des règles de sécurité écrites par Camille.
Lis ces règles pour vérifier si tu les connais bien.
Retrouve dans le texte les règles qui sont illustrées.

Fêter l'Halloween
en toute sécurité

Les déguisements et les accessoires

1 Porte un costume
à l'épreuve du feu.

2 Utilise un maquillage
au lieu d'un masque
pour bien voir
et bien entendre.

3 Fais poser
des bandes fluorescentes
sur ton costume
pour qu'on te voit bien.

4 Porte un costume court
pour éviter les chutes.

5 Utilise une lampe
de poche allumée
pour mieux voir
et te rendre visible.

La façon de se déplacer

6 Respecte
la signalisation routière.

7 Évite de zigzaguer
d'un trottoir à l'autre.

8 Demande à tes parents
à quelle heure
tu dois revenir à la maison.

9 Vérifie ta route
avec tes parents.
Reste dans le quartier.
Ne t'éloigne pas trop
de la maison.

10 N'entre jamais
à l'intérieur d'une maison
ou d'un appartement.
Reste sur le seuil
de la porte.

11 Ne monte pas
dans un véhicule
sans la permission
de tes parents.

Vérifie avec tes parents
ou tes grands-parents
les friandises
qu'on t'a données.

Avec ton équipe,
identifie
les règles de sécurité
les plus importantes.

47

Tu veux décorer ta classe pour la fête de l'automne.
Voici des suggestions amusantes pour décorer des citrouilles.
Lis le texte pour savoir comment procéder.

Des citrouilles décorées

Mon amie du Japon

Le jardinier heureux

Clo-clo, le clown

Le violoneux

La bonne sorcière

Valentine

Démarche

 **1** Choisis le personnage que tu veux faire.

 **2** Dessine ton personnage sur du papier.

 **3** Fais la liste du matériel dont tu auras besoin.

 **4** Prépare le matériel.

 **5** Décore ta citrouille avec l'aide de quelqu'un.

Fais attention si tu utilises un couteau ou des épingles.

Matériel

- crayons feutres
- couteau
- épingles
- peinture
- colle
- clous

Yeux, nez, bouche, oreilles

- assiettes en carton
- godets de crème
- pommes de pin
- papier de soie bouchonné
- roches
- boutons

Cheveux

- cartons de couleur
- fleurs séchées
- nettoie-pipes
- fourrure
- ouate
- laine

Accessoires

- chapeau
- sucette
- tuque
- ruban
- pipe
- fleur

Un drôle de couple

Le portrait de la dame

Sa tête est une citrouille.

Ses yeux sont des radis.

Son nez est un concombre.

Sa bouche est
un épi de maïs.

Ses oreilles sont
des pommes rouges.

Ses cheveux sont
des brocolis.

Son chapeau est un panier
décoré d'une marguerite.

Le portrait du monsieur

Sa tête est une citrouille.

Ses yeux sont des raisins.

Son nez est une carotte.

Sa bouche est un céleri.

Ses oreilles sont
des pommes vertes.

Ses cheveux sont
des choux-fleurs.

Sa cravate est une échalote.

Lis rapidement
les mots soulignés.

Un personnage bizarre

 Imagine un personnage fait de fruits et de légumes.
Écris un texte pour décrire
ton personnage à tes amis.

 Utilise le modèle suivant :

Voici... **(nom du personnage)**

- Sa tête est...

- Son corps est...

- Ses bras sont...

- Ses jambes sont...

Révise ton texte.

As-tu accordé les déterminants avec les noms ?

Ses jambes sont **des** carottes.

Demande à deux amis de dessiner ton personnage.
Compare les dessins.

 Écris de mémoire les mots suivants :

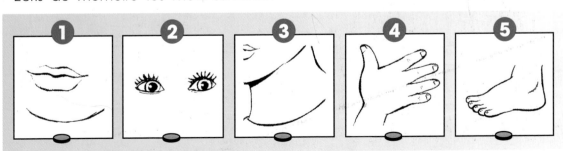

⊖ la bouche	⊖ le pied	⊖ le visage
⊖ le bras	⊖ la tête	⊖ la face
⊖ le cou	⊖ les yeux	⊖ la figure
⊖ la main	⊖ le nez	⊖ la peau

g g g   y y y

 Lis chaque phrase.

 Écris le prénom des personnes qui peuvent faire l'action.

Une belle grosse citrouille

Hugo   Gaby   Yan   Kim

1 Elle achète une citrouille au marché.

2 Il dessine un croquis sur du papier.

3 Ils vident la citrouille.

4 Elles découpent dans la citrouille des yeux, un nez et une bouche.

5 Il place une bougie dans la citrouille.

6 Ils placent la citrouille décorée sur la galerie.

Trouve les phrases :
- **au singulier ;**
- **au pluriel.**

Quels apprentissages
as-tu faits
dans l'unité **2** ?

Place un jeton
dans les bonnes cases
pour indiquer tes réponses.

	toujours	parfois	jamais
Je respecte les règles de sécurité en autobus scolaire.			
Je respecte les règles de sécurité dans la cour de récréation.			
Je respecte les règles de sécurité sur le chemin de l'école.			
Je respecte les règles de sécurité pour me déguiser et me déplacer le soir de l'Halloween.			

À la fin de l'unité **2**, je me dis...

Bravo !

Très bien !

Essaie de faire mieux !

Voici une chanson pour l'Halloween.
Lis la chanson de Jacqueline Lemay.
Essaie de l'apprendre par coeur.

Ouvrez-nous !

Refrain

De maison en maison, nous allons.
Ce soir, c'est l'Halloween !
Allô ! oui, c'est nous ! Ouvrez-nous !
C'est nous, les loups, les lutins, les vampires.
Ouvrez-nous !

1

— Moi, je suis un petit diable.
— Moi, la fée des étoiles.
— Moi, je suis un fantôme
   qui vient vous hanter.

2

— Non, ce n'est pas un masque,
   mais un beau maquillage.
— Je suis une vraie sorcière
   qui fait d'étranges potages.

3

Madame la citrouille
est la reine de la fête.
Elle rit sur les balcons,
du feu dans ses yeux
et des couleurs en tête.

Robert Soulières

Voici une histoire que j'ai composée pour toi. Lis cette histoire avec tes amis.

Les citrouilles de monsieur Lavoie

Dans deux semaines, ce sera l'Halloween,
la fête des citrouilles. Mais les citrouilles
de monsieur Lavoie sont plutôt maigrichonnes.
On dirait qu'elles refusent de pousser.
— Citrouilles de citrouilles,
  allez-vous pousser à la fin !
  Dépêchez-vous !
Monsieur Lavoie crie toujours.
Il gesticule fort.
Il dit de gros mots.

Un bon matin, madame Mozart passe près du jardin
de monsieur Lavoie. Comme toujours, elle entend crier
son voisin.

— Monsieur Lavoie, monsieur Lavoie, calmez-vous...
Vous faites peur à vos citrouilles. Elles ont sûrement
la trouille. C'est pour cela qu'elles refusent de pousser.

— Vous dites des sottises, madame Mozart.

— Mais non, regardez vos citrouilles.
Elles sont petites, maigrichonnes et toutes pâles.

— Quoi faire alors ? demande monsieur Lavoie.

— Soyez gentil. Parlez-leur doucement.
Dites-leur des mots d'amour.
Vous verrez, c'est une très bonne idée.

— Je ne vous crois pas du tout, dit monsieur Lavoie.

Mais monsieur Lavoie se met à réfléchir.

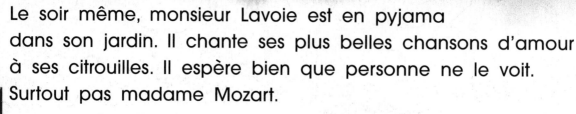

Le soir même, monsieur Lavoie est en pyjama

dans son jardin. Il chante ses plus belles chansons d'amour
à ses citrouilles. Il espère bien que personne ne le voit.
Surtout pas madame Mozart.

Quinze jours plus tard...

Monsieur Lavoie est au marché du village. C'est lui qui a les plus belles, les plus grosses citrouilles.

Et monsieur Lavoie, derrière son étalage, fredonne encore des chansons d'amour.

Citrouilles de citrouilles !
Je vous donne mon coeur.
Donnez-moi des rondeurs.
Je vous donne mes caresses.
Devenez gigantesques.
Mes beaux soleils orangés.
Grossissez, grossissez, grossissez...

1 Frimas te présente son meilleur ami.

Lis le texte. Dessine le personnage décrit.

Mon ami Glaçon

Glaçon habite sur une autre planète.

Il a un nez en forme de bleuet.

Il a deux yeux clignotants.

Il a des cheveux rouge flamme.

Il porte une plume à son chapeau.

Il porte une fleur à son blouson.

Il aime la pluie et les flocons de neige.

Il est toujours glacé.

J'adore mon ami Glaçon.

2 Lis les phrases.

Mime ce que fait chaque personnage.

1 William imite le wapiti.

2 Karine fait du karaté en kimono blanc.

3 Roxane pèse sur le klaxon de son taxi.

4 Au zoo, Lorenzo salue le zèbre et le lézard.

Ma santé

Dans l'unité 3,
on va te parler :
- des produits dangereux ;
- des maladies
  et des malaises ;
- de la prévention
  des incendies ;
- des repas équilibrés.

Voici ton projet de l'unité 3: des trucs santé.

Prépare un carnet de conseils pour aider les élèves du 1er cycle à rester en bonne santé.

Pense à la santé physique et à la santé du coeur.

1 Choisis parmi les idées suivantes :

Pour éviter les empoisonnements

Pour éviter les maladies ou les malaises

Pour éviter les incendies

Pour relaxer

Pour être en forme

Pour bien s'alimenter

Les textes de l'unité **3** vont te donner des idées.

2 Trouve d'autres informations :

- Interroge ton éducateur physique ou ton éducatrice physique, un infirmier ou une infirmière, un pompier ou une pompière.

- Fais des recherches à la bibliothèque de l'école, à la bibliothèque municipale ou dans Internet.

Propose aux élèves de ta classe une façon de regrouper les conseils.

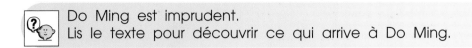
Des bonbons dangereux

Aujourd'hui, Laurent est en congé.
Il ne va pas à la caserne de pompiers.
Laurent fait la lessive.

Laurent sort les vêtements de la corbeille à linge.
Une vraie corbeille à surprises.
«Tiens! tiens! l'espadrille de Mathieu,
le médaillon de Camille...
Ah! ah! un caillou dans la poche
du chandail de Raphaëlle...»

Laurent met le linge dans la laveuse.
Il surveille Do Ming du coin de l'oeil.
Le bébé, assis par terre près de Pollus,
s'amuse à empiler des cubes.

Le téléphone sonne.
Laurent sort de la pièce.
Do Ming va aussitôt fouiller
dans l'armoire.
Il trouve une belle petite boîte
de billes blanches.

Do Ming éparpille les petites billes
blanches sur le plancher.
Ses yeux s'écarquillent.
— Bon bonbon... bon bonbon...,
dit-il en tapant des mains.
Sa menotte saisit une, deux,
trois billes blanches.
Sa petite bouche s'ouvre
toute grande...

Do Ming croque, croque, croque.
Il grimace. Il crache et crache encore.
Il se met à pleurer. Il crie.
Pollus, énervé, jappe sans s'arrêter.

Laurent arrive en courant. Il devine ce qui s'est passé.
Il prend Do Ming dans ses bras et se précipite
sur le téléphone.
— Le Centre anti-poison?

— ...
— Mon bébé a croqué des boules de naphtaline.
— ...
— Deux ou trois boules.
— ...
— Oui, je vais faire cela tout de suite.
Je suis moins inquiet maintenant.
Merci beaucoup.

Présente l'aventure de Do Ming
sous forme de saynète.

Connais-tu ces symboles?

Avec tes parents,
fais une liste
des produits dangereux
qu'il y a chez toi.

63

Les jumeaux ont eu une drôle d'idée.
Lis le texte pour découvrir leur clinique médicale.

Une clinique médicale

Ce matin, c'est le branle-bas dans la chambre
des jumeaux. Théo et Raphaëlle ont transformé
leur chambre en clinique médicale. Les jumeaux,
déguisés en médecins, accueillent sept malades.

— Joli bébé Do Ming, je vais voir si tu fais de la fièvre.
   Laisse ce thermomètre sous ta langue.

— Douce madame Camille, je vais guérir votre rhume
   avec ce sirop contre la toux.

— Gros chien Pollus, je vais vous calmer
   avec un bon bain chaud, mais surtout pas bouillant.

— Pauvre chatte Quatre-Sous, je vais mettre
   ta petite patte cassée dans un plâtre.

— Petit ourson, je vais appliquer de l'onguent
   sur ce gros bouton pour te soulager.

— Gentille poupée, je vais écouter le bruit
   que fait ton coeur avec ce stéthoscope.

— Cher gorille, je vais vous endormir
   avec cette piqûre. Regardez la longue aiguille.

Tout à coup, on frappe à la porte.

Est-ce un nouveau malade ? Non, c'est grand-maman.

Le visage de grand-maman change de couleur.

— Oh ! oh ! mais quel désordre !

Docteur, docteure, pouvez-vous m'aider ?

Je fais un **gros** cauchemar.

Les jumeaux se regardent et pouffent de rire.

— Chère madame, nous allons tellement

vous faire rire que vous n'aurez plus peur !

Fini le **gros** cauchemar.

Dis ce que tu penses des soins
donnés aux malades par les jumeaux.

Donne des conseils
aux élèves de ta classe
qui ont des malaises :
rhume, insomnie, etc.

Une clinique médicale achalandée

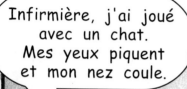

Infirmière, j'ai joué avec un chat. Mes yeux piquent et mon nez coule.

Tu sembles allergique aux chats.

Docteur, j'ai mal à la gorge. Je tousse. Je suis fiévreux.

Tu as sans doute le rhume ou la grippe.

Docteure, j'ai mal aux jambes la nuit. Je ne peux pas dormir. Je suis fatigué.

Tu as peut-être des crampes aux mollets.

Infirmier, nous sommes fiévreux. Nous avons sommeil. Nous avons des boutons partout sur le corps. Et ça pique !

Vous avez probablement la varicelle.

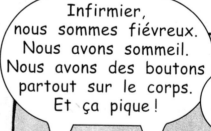

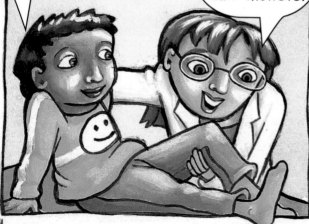

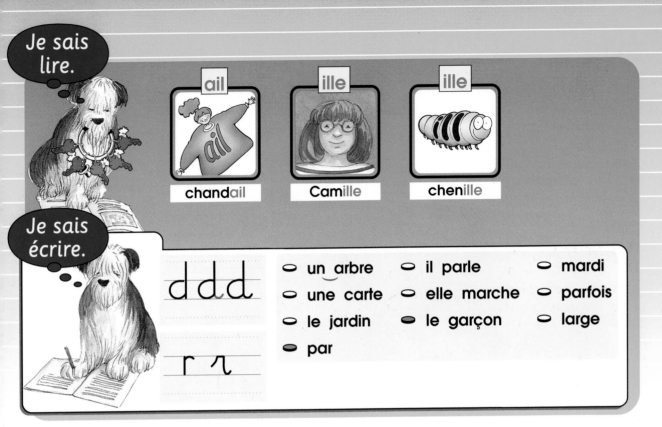

ail — chandail

ille — Camille

ille — chenille

d d d

r r

- un arbre
- une carte
- le jardin
- par
- il parle
- elle marche
- le garçon
- mardi
- parfois
- large

Lis les phrases.
Trouve les deux dessins qui correspondent à chaque phrase.
Écris tes réponses.

Des découvertes

1 J'ai trouvé un chandail dans le poulailler.

2 J'ai trouvé des cailloux sur les rails.

3 J'ai trouvé un papillon sur la grille.

4 J'ai trouvé une chenille sur ma béquille.

Bonjour !
Je suis Superlux !
J'aide les enfants
à penser.

Zeina rentre de l'école avec son voisin Michaël.

J'ai faim !

Je sais faire du lait au chocolat.

Michaël refuse le verre.

Non merci !
Je n'aime pas le lait
au chocolat froid.

Zeina allume la cuisinière.

Superlux voit d'avance ce qui pourrait arriver.

Oh ! non !

Zeina éteint la cuisinière.
Elle a changé d'idée.

Mon père me défend
d'allumer la cuisinière.

Ma mère
aussi.

Zeina trouve une solution.

Avec un peu d'eau chaude,
cela fait pareil !

Nos parents peuvent
nous faire confiance.

Bonjour !
Je suis Superlux !
J'aide les enfants
à penser.

Explique aux élèves de ta classe
comment prévenir les incendies.

Karine a apporté un jeu chez Victor.

Peuh !
c'est un jeu
de bébé.

Réveille-toi,
c'est à ton tour
de jouer.

Victor sort quelque chose
de la poche de son chandail.

Regarde !
J'ai pris cela
dans le bureau
de maman.

Des allumettes !
En as-tu beaucoup ?

Superlux voit d'avance
ce qui pourrait arriver.

Oh ! non !

Victor a changé d'idée.

Mes parents
me défendent de jouer
avec des allumettes.

Moi aussi.

Je vais remettre
les allumettes
à leur place.

Nos parents peuvent
nous faire confiance.

Raphaëlle a écrit une lettre à son amie Gabrielle
pour lui donner des nouvelles de l'école.
Lis le texte pour savoir ce qui s'est passé à l'école des Mille-Feuilles.

Pas de panique !

Chère Gabrielle,

Il y a eu un exercice d'incendie à l'école.
Tout à coup, on a entendu
l'avertisseur d'incendie. Théo a eu peur.
Guillaume et Bénédicte ont pleuré.
Estelle a dit :
— Pas de panique, les enfants.
   Vite, en rang. Tout le monde sort.

C'est notre classe qui est sortie la première.
Les pompiers ont félicité tous les élèves de l'école.
Grégory, le mari d'Estelle, nous a expliqué
quoi faire en cas d'incendie.

Sais-tu ce qui tue les gens
quand il y a un incendie ?
C'est la fumée et non les flammes.
Les gens meurent asphyxiés.

Sais-tu ce que font parfois les enfants
quand il y a un incendie ?
Ils se cachent sous un lit
ou dans une garde-robe
au lieu de sortir de la maison.

J'ai hâte de te revoir.

Raphaëlle XX

70

Compare ce qui est arrivé à cette école
avec ce qui arrive à ton école.

On ne joue pas avec le feu.

À la suite de l'exercice d'incendie à l'école,
les jumeaux ont préparé un questionnaire.
Lis ce questionnaire et demande à tes amis d'y répondre.

1 Y a-t-il un détecteur de fumée dans ta maison ?
Si oui, a-t-il été vérifié dernièrement ?

2 Connais-tu toutes les sorties de ta maison ?

3 As-tu préparé un plan d'évacuation avec ta famille ?

4 Sais-tu quoi faire en cas d'incendie ?

5 As-tu déjà fait un exercice d'incendie à la maison ?

6 Le numéro de téléphone des pompiers est-il affiché près du téléphone ?

Dessine avec tes parents
le plan d'évacuation
de ta maison.
Explique ton plan
à tes amis.

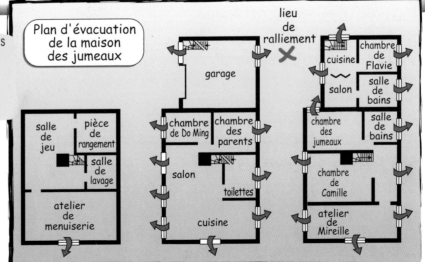

Plan d'évacuation
de la maison
des jumeaux

lieu de ralliement

garage

salle de jeu | pièce de rangement
salle de lavage
atelier de menuiserie

chambre de Do Ming | chambre des parents
salon
toilettes
cuisine

cuisine | chambre de Flavie
salon | salle de bains
chambre des jumeaux | salle de bains
chambre de Camille
atelier de Mireille

En amour avec la télé

Beau temps, mauvais temps,
chaque jour de congé,
Célestine regarde la télé.

— *Viens manger!*
crie son père.
Célestine ne bouge pas.
Elle reste assise par terre.
Elle regarde les dessins animés
de Gros Minou, le vilain chat.

— *Va jouer dehors!*
crie sa mère très fort.
Célestine préfère zapper:
course automobile, lutte et hockey.
Célestine ne veut pas se fatiguer.
Elle regarde le sport à la télé.

— *Va te coucher!*
crient ses parents.
Célestine est bien trop excitée.
Elle regarde des documentaires
et des séries policières
en mangeant du maïs soufflé.

À l'école, Célestine s'ennuie,
car elle n'a pas d'amis.
Elle n'a pas le temps de s'amuser,
car elle regarde toujours, toujours
et toujours la télé.

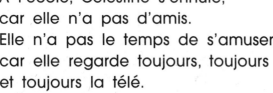

Dis ce que tu penses
du comportement de Célestine.
Est-ce que tu ressembles à Célestine?

Fais un sondage
pour connaître le temps
que tes amis passent:
- à regarder la télé;
- à faire du sport.

Je sais lire.

ouille	eille	eille	euil
ouil		eil	euil
grenouille	Mireille	abeille	feuille

Je sais écrire.

C C

p p p

- dormir
- finir
- ouvrir
- devenir
- il porte
- fort
- forte
- quatorze
- la famille
- le soleil
- la feuille
- vieille

Lis le texte.
Écris le conseil que tu donnerais à Paulina.

Au secours !

Pendant que Paulina sommeille,
le détecteur de fumée se réveille.
Tanzir a laissé la bouilloire branchée.
Cédric a vidé le cendrier
dans la corbeille à papier.

Paulina entend le feu qui pétille.
Vite, elle avertit toute la famille.

Un repas de fête

Les jumeaux et grand-maman ont préparé en cachette
un repas de fête. Que peuvent-ils bien fêter?

Salade en train

Ingrédients

un pied de céleri

un gros concombre

trois radis

une carotte

du fromage
à la crème

un gros morceau
de fromage à pâte dure

de la luzerne
ou de la laitue

des graines
de tournesol

Démarche

1 La voie ferrée

Coupe le céleri en bâtonnets.

Il faut deux longs bâtonnets pour les rails.
Il faut six bâtonnets plus courts pour les traverses.

2 La locomotive

Coupe les bouts du concombre.

Les roues

- Enlève les bouts des radis.
- Coupe les radis en deux.
- Fixe les radis coupés à la locomotive.
  Utilise des cure-dents.

La cheminée

- Coupe un morceau de carotte.
  Fixe-le sur la locomotive avec du fromage à la crème.
- Place la locomotive sur la voie ferrée.
- Place le morceau de fromage à l'arrière du concombre.

3 Le décor

- Ajoute de la luzerne ou de la laitue
  pour faire de la pelouse.
- Ajoute des graines de tournesol
  pour faire de petites roches.

Ton corps, une vraie maison

Ton corps ressemble à une vraie maison.
Une maison vivante.

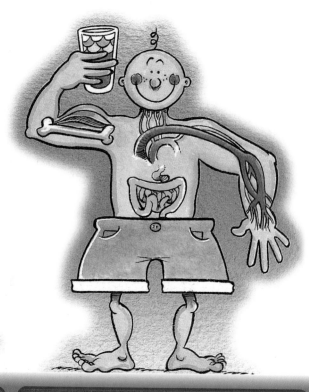

La structure d'une maison	La structure de ton corps
• Des poutres et des murs pour supporter la maison	• Des os et des muscles pour supporter le corps
• Des fils électriques pour distribuer l'électricité dans toute la maison	• Des veines et des artères pour distribuer le sang dans tout le corps
• Des tuyaux d'égout pour évacuer les déchets	• Des intestins pour évacuer les déchets
• De l'eau dans la plomberie	• De l'eau pour irriguer le corps

C'est important de prendre soin de ton corps.
Ton corps est en pleine croissance.
Il a besoin de beaucoup d'énergie.
Il puise une grande quantité de son énergie
dans les aliments.

Voici les quatre grands groupes d'aliments :

Lait et produits laitiers

Viande, poisson, volaille, oeufs, noix et légumineuses

Pain et céréales

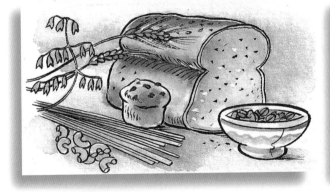

Fruits et légumes

Mange chaque jour des aliments choisis dans chacun de ces groupes d'aliments.

**Bois beaucoup d'eau. Fais de l'exercice.
Ta maison vivante sera ainsi en pleine forme...
pour rire, pour apprendre, pour courir
et pour grandir.**

77

Des repas et des collations santé

Gourmand mange un repas bien équilibré.
Il a choisi ses aliments
parmi les quatre grands groupes d'aliments.

Lait et produits laitiers
- du lait

Viande, poisson, volaille, oeufs, noix et légumineuses
- un oeuf
- du poisson

Pain et céréales
- du pain

Fruits et légumes
- une pomme
- une carotte
- du brocoli
- du chou-fleur

Compose un bon menu équilibré pour ton repas du midi
à la maison ou à l'école. Fais lire ton menu à tes amis.

Josèphe et Alfred mangent des collations santé.

Moi, j'ajoute de la luzerne
sur ma tartine
de beurre d'arachide.

Moi, j'ajoute du fromage
à la crème
sur mes bâtonnets de céleri.

Donne des idées de collations santé à tes amis.

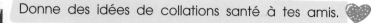

Raphaëlle a composé une comptine pour Gabrielle.
Lis la comptine pour connaître le repas des deux dinosaures.

Bon appétit, les dinosaures !

Dans ma tête, j'ai une idée.
À mon ami le brontosaure,
je vais donner
fleurs de brocoli,
branches de céleri,
rondelles de carotte
ou échalotes,
laitue
ou chou dodu,
parce qu'il est herbivore.

Dans ma tête, j'ai une idée.
À mon ami le tyrannosaure,
je vais donner
viande en brochettes
ou en croquettes,
jambon
ou poisson,
écrevisses
ou saucisses,
parce qu'il est carnivore.

 Fais la liste des aliments que chaque animal va manger.

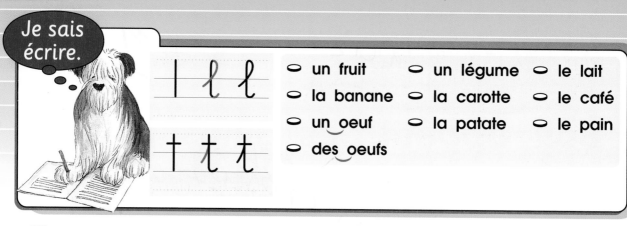

- un fruit
- un légume
- le lait
- la banane
- la carotte
- le café
- un oeuf
- la patate
- le pain
- des oeufs

Réponds à la question **Qui suis-je ?** à l'aide de ces mots.

| une grenouille | un fauteuil | une jonquille | un chandail |
| un médaillon | un grille-pain | une citrouille | juillet |

QUI SUIS-JE ?

1 Je suis une fleur.

2 Je suis un vêtement.

3 Je suis un animal.

4 Je suis un mois de l'année.

5 Je suis un meuble.

6 Je suis un bijou.

7 Je suis un aliment.

8 Je suis un appareil électrique.

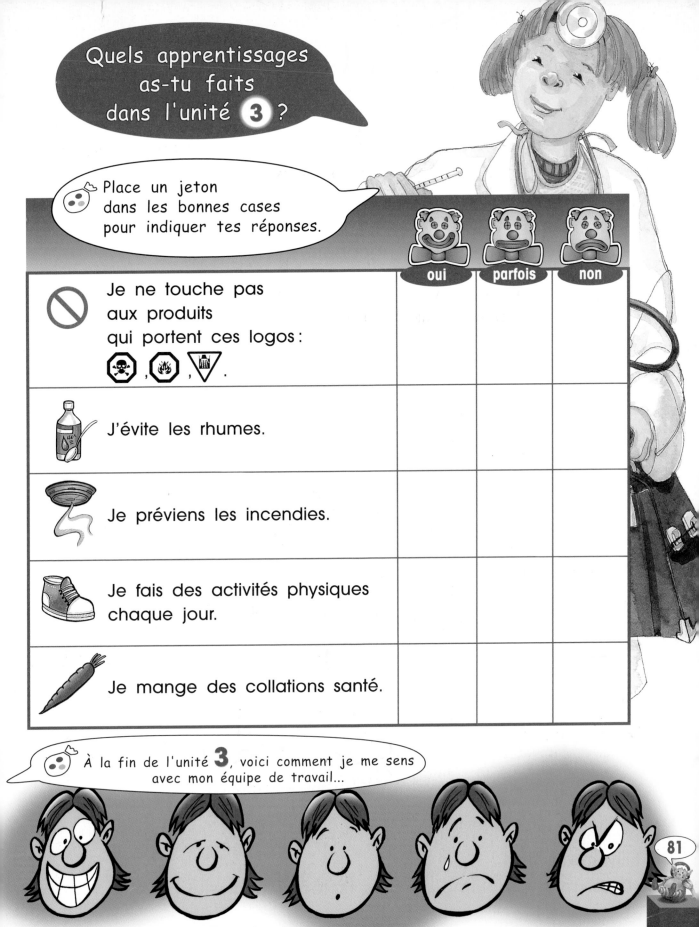

Quels apprentissages as-tu faits dans l'unité **3** ?

Place un jeton dans les bonnes cases pour indiquer tes réponses.

	oui	parfois	non
Je ne touche pas aux produits qui portent ces logos :			
J'évite les rhumes.			
Je préviens les incendies.			
Je fais des activités physiques chaque jour.			
Je mange des collations santé.			

À la fin de l'unité **3**, voici comment je me sens avec mon équipe de travail...

81

Bernadette Renaud

Voici une histoire que j'ai composée pour toi.
Lis cette histoire avec tes amis.

Trop, c'est trop !

Billy est prêt à partir pour l'école.
Papa est prêt à partir pour le bureau.
Les petites mains de Billy agrippent
une poignée de bonbons.
Les grosses mains de papa
agrippent le poignet de Billy.
— Billy, dit papa avec impatience,
  cesse de manger des bonbons.
  Ça gâte tes dents et ça te rend irritable.
  Si tu continues, je jette ces bonbons à la poubelle.

En route pour l'école, Billy réfléchit.

Billy comprend.
« C'est mon problème. Je vais le régler tout seul. »

À son retour de l'école, Billy a pris une décision.
Il met quelque chose dans un petit sac en plastique.
Il cache le sac dans une petite boîte.
Il colle la boîte avec du ruban adhésif.
Il attache la boîte avec une corde.
Il fait deux noeuds.
Il grimpe sur une chaise.
Il cache la boîte dans le haut de l'armoire.

Pendant la soirée, papa a la bougeotte. Il est nerveux
depuis qu'il ne fume plus.

— Billy, où sont les bonbons ? Les as-tu tous mangés ?

— Non, papa. Les bonbons sont dans le haut
   de l'armoire.

Papa va fouiller et trouve le paquet.

Mais le paquet est bien collé et bien ficelé.

«C'est trop compliqué», soupire papa.

Papa replace le paquet dans le haut de l'armoire.

Billy se verse un jus et ajoute une paille.

— Tu vois, papa, j'ai réglé mon problème tout seul.

— Hum ! hum ! toussotte papa. Tu as raison.
   Et si je mangeais un kiwi
   au lieu d'un bonbon ?
   Je serais moins irritable et je n'aurais
   certainement pas de bedon.

Présente cette histoire sous forme de saynète à d'autres élèves.

Voici une chanson sur les maladies
et les malaises des enfants.
Lis la chanson de Jacqueline Lemay.
Essaie de l'apprendre par coeur.

Les p'tits bobos

Refrain

**Moi, j'ai souvent des p'tits bobos.
Je vous le dis, ce n'est pas rigolo.
Hiver, été ou au printemps,
des p'tits bobos, j'en ai tout le temps.**

1 Des déchirures, des éraflures,
ainsi finissent mes aventures.
Je tombe et me blesse en jouant.
Tout s'arrange avec un pansement.
Rien ne fait plus mal qu'une brûlure !
Non ! le pire, c'est un mal de dents.

2 Foulure au pied, piqûre au doigt,
ça m'est arrivé bien des fois.
Quand je mange vite, je me lamente.
J'ai mal au coeur, j'ai mal au ventre.
Et si je me couche trop tard,
la nuit, je fais des cauchemars.

3 Grippé au lit, j'ai chaud, j'ai froid.
Je tousse, je mouche, je perds la voix.
Un bon sirop, une compresse,
rien n'est meilleur pour le moral.
Un mot d'amour, une caresse,
et je m'endors, je n'ai plus mal.

85

1 Peux-tu lire entre les lignes ?

Lis chaque phrase.
Écris à quel endroit sont les personnes.

- Le réveille-matin sonne.
  Sako s'étire.

- Mimosa sort son portefeuille
  pour payer les pastilles
  et la bouteille de sirop.

- Vincent regarde le menu
  et commande des nouilles.

2 Connais-tu le sens des mots ou et et ?

Lis chaque phrase.
Fais ce qui est demandé.

- Dessine un chandail
  ou un maillot de bain.

- Dessine une orange
  et une citrouille.

- Dessine un écureuil
  ou un papillon.

Les cadeaux

4

Dans l'unité 4,
on va te parler :
- de différents moyens
  pour communiquer
  à distance ;
- du recyclage
  de jouets usagés ;
- d'objets que tu peux
  fabriquer toi-même.

Voici ton projet de l'unité **4** :
des cadeaux faits avec amour.

Prépare des cadeaux
pour les enfants défavorisés,
les enfants malades
ou les personnes âgées.

1 Choisis parmi les idées suivantes :

1 Envoie des messages d'amour :
- par téléphone ;
- par télécopieur ;
- par Internet.

2 Enregistre des chansons de Noël :
- sur cassette audio ;
- sur cassette vidéo.

3 Organise une collecte de jouets usagés dans ta classe.

4 Fabrique des cadeaux à partir d'objets recyclés.

LES ARAIGNÉES DE NOËL

5 Compose un conte de Noël et fabrique un petit livre. Écris ton texte à l'ordinateur.

Les textes de l'unité **4** vont te donner des idées.

2 Trouve d'autres idées :
- à la bibliothèque de l'école ;
- à la bibliothèque municipale ;
- dans les journaux ;
- dans les revues ;
- dans Internet.

Il y a une tempête de neige.
Lis le texte pour savoir ce que font les jumeaux et leur famille.
Mime l'histoire avec tes amis.

Prisonniers de la neige

Do Ming se réveille
en pleurant. Il a peur.
Des rafales de vent secouent
la fenêtre de sa chambre.

Les jumeaux se lèvent
en grelottant.
Le système de chauffage
ne fonctionne pas.

Camille saute du lit
en bougonnant.
Son réveille-matin n'a pas sonné ;
il y a une panne d'électricité.

Flavie entre dans la cuisine
en bâillant.
Elle a été réveillée
par les miaulements
de Quatre-Sous
et les sifflements de Kiwi.

Pollus dégringole l'escalier
en jappant. Tout ce brouhaha
dans la maison l'excite.

Une tempête de neige fait rage.
— Nous ne pouvons plus sortir de la maison.
Nous sommes prisonniers de la neige ! disent les jumeaux.

Heureusement, la panne d'électricité est vite réparée.

Flavie annule par téléphone son dîner
avec Antonio, le facteur.
Un répondeur prend son message.

Mireille envoie
une nouvelle bande dessinée
au journal local.
Elle utilise le télécopieur.

Théo et Raphaëlle enregistrent
des chansons sur le magnétophone
de leur grand-maman.

Camille écrit un conte à l'ordinateur.
Elle l'envoie par Internet à son amie Frédérique.

Laurent doit se rendre à la caserne de pompiers.
Son auto ne démarre pas.
Le garagiste fait monter Laurent
dans sa dépanneuse
et l'amène à la caserne.

Quelle merveilleuse journée pour Do Ming!

Do ming joue aux cartes avec sa grand-maman.

Il enregistre ses balbutiements sur le magnétophone.

Il écoute le conte que lui lit Camille.

Il dessine avec sa maman.

Pollus regarde
d'un air penaud
par la fenêtre. Il grogne
à chaque bourrasque
de vent. Il n'aime pas
être prisonnier de la neige.

 Fais la liste des moyens de communication
utilisés par les jumeaux et leur famille.

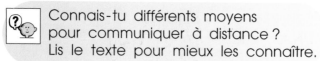

Communiquer par la parole

Il y a très longtemps,
les gens devaient absolument
se rencontrer pour se parler.

De nos jours, tu n'es plus obligé
de rencontrer une personne
pour lui parler.

Tu peux chuchoter
dans un microphone.
Une salle entière t'entend
facilement.
Connais-tu le porte-voix ?
On s'en sert pour amplifier
la voix à l'extérieur.
Un émetteur-récepteur portatif
transporte ta voix
jusqu'en dehors de la maison.
Tu peux aussi communiquer
par interphone.

Tu peux parler à quelqu'un en son absence.
Comment ? En enregistrant ta voix sur une cassette audio.
Tu peux aussi enregistrer ta voix, ta mimique et tes gestes
sur une cassette vidéo.

Mais le moyen le plus facile de communiquer à distance
par la parole, c'est le téléphone.

Communiquer par écrit

Il y a très longtemps, les gens écrivaient seulement à la main.
À certaines époques, on a utilisé le poinçon
ou la plume d'oie.

De nos jours, tu peux utiliser
un stylo, un crayon ou une craie.

Si tu écris un texte à l'ordinateur,
tu peux changer souvent d'idée.
Tu peux corriger un mot,
enlever ou ajouter une phrase.
Ton texte est toujours propre.
C'est ensuite possible d'envoyer
ton texte par Internet. Ton message
peut faire le tour du monde
en quelques secondes.

À l'aide d'un télécopieur,
tu peux aussi envoyer
ou recevoir instantanément
un message.

Sais-tu par quel moyen
je communique avec toi
aujourd'hui ?
À l'aide de l'imprimerie.
Les livres, les revues,
les journaux
sont des imprimés.

Fais une liste de moyens :
• pour communiquer par la parole ;
• pour communiquer par écrit.
Souligne les moyens que tu as déjà utilisés.

Je sais lire.

th	th	h	ph	ph
Théo	panthère	hibou	Raphaëlle	phoque

Je sais écrire.

b b b

h h h

- haut
- haute
- heureux
- heureuse

- huit
- une heure, h
- une histoire
- un homme
- une dame

Lis les phrases. Regarde les illustrations.

 Place un jeton pour dire si la phrase est vraie ou fausse.

Des phrases amusantes

		Vrai	Faux
1	Un phoque jongle avec quatre lettres de l'alphabet.		
2	Un hérisson photographie un éléphant.		
3	Une panthère lave les phares du camion.		
4	Un hibou se promène en hélicoptère.		

Le père Noël et la mère Noël existent vraiment.
Lis le texte pour faire leur connaissance.

Crois-tu au père Noël
et à la mère Noël ?

La mère Noël,
c'est une infirmière
d'un hôpital.
Elle a organisé un spectacle
de chansons de Noël
pour les malades.

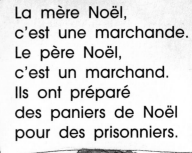

La mère Noël,
c'est une marchande.
Le père Noël,
c'est un marchand.
Ils ont préparé
des paniers de Noël
pour des prisonniers.

La mère Noël,
c'est une adolescente.
Elle a aidé un couple âgé
à décorer leur arbre de Noël.

Le père Noël,
c'est un petit garçon.
Il a donné son jouet préféré
à son amie.

Le père Noël,
c'est un cuisinier.
Il a invité gratuitement
des familles défavorisées
à un réveillon de Noël
dans son restaurant.

Dis à tes camarades
ce que tu pourrais faire
pour être un père Noël
ou une mère Noël.

Un royaume de jouets

Connais-tu des lutins
du père Noël?
Moi, j'en connais.
Ce sont des pompiers.

Coups de marteau...
coups de pinceau...
coups de ciseaux...
Quand ces pompiers
ont un peu de temps libre,
ils réparent des jouets.
Ils préparent joyeusement
la grande distribution de jouets
pour les enfants défavorisés.

L'entrepôt des jouets

Depuis plus de 60 ans,
une caserne de pompiers
de Sherbrooke est un véritable
royaume de jouets.
Des gens viennent de partout
y porter des jouets usagés.
Des écoles organisent
des collectes de jouets.
L'entrepôt est bien garni.

La réparation des jouets

Les pompiers lutins inspectent
tous les jouets recueillis.
Ils les nettoient et les réparent.
Une amie couturière
prend soin des poupées.
Elle leur confectionne
de nouveaux vêtements.
Manque-t-il des pièces
à certains casse-tête ?
Des grands-papas
et des grands-mamans bénévoles
prennent le temps de faire
chaque casse-tête.

La distribution des jouets

Le père Noël et ses lutins empilent
les jouets dans des camions.
Le père Noël prend place
sur la grande échelle
du camion d'incendie.
Le cortège sillonne les rues
de Sherbrooke et des environs.

À la fin de la journée,
les pompiers lutins auront offert
des jouets à beaucoup d'enfants.

Le père Noël m'a dit :
— J'aime voir s'allumer une flamme
de joie dans les yeux des enfants.

Présente sur une ligne du temps
le travail fait par les pompiers.
Compare ta ligne du temps
avec celles de tes amis.

Fais une liste des personnes
qui peuvent t'aider à organiser
une collecte de jouets usagés
dans ta classe.

97

Voici l'histoire de la poupée Dimitri.
Lis le texte pour savoir ce qui lui arrive.

Le Noël de Dimitri

Une poupée garçon est abandonnée
depuis longtemps dans une vieille boîte.
Pauvre Dimitri, sa vie est finie !
Personne ne veut plus de lui.
Mais... quelques jours avant Noël,
une femme mystérieuse le sort de sa boîte.

Et hop ! Dimitri est lavé et désinfecté
des oreilles aux orteils. Puis il est habillé
de beaux vêtements.
— Enfin ! s'exclame Dimitri.
　　Je recommence une nouvelle vie.

Madame Jeannette, la femme mystérieuse,
présente Dimitri à des dizaines d'autres poupées.
D'une voix à la fois triste et joyeuse,
elle dit à ses poupées :
— Beaucoup d'enfants ont besoin de vous.
  Ils souffrent dans les hôpitaux
  ou ils vivent dans des familles démunies.
  Leurs petits bras sont parfois maladroits,
  mais leur coeur est plein d'amour.
  Aimez-les très fort.

Dimitri est heureux.
Il sait qu'un enfant
va l'adopter et l'aimer.
Dimitri aussi va aimer cet enfant.
Quand madame Jeannette l'embrasse,
Dimitri lui murmure un gros «merci».
Pour Noël, un enfant l'attend quelque part...

99

Présente l'histoire à des amis sous forme de bande dessinée.

Si j'étais le père Noël...

  Imagine que tu es le père Noël ou la mère Noël.

 Complète les textes pour dire à tes amis
ce que tu ferais.

1 Si j'étais le père Noël ou la mère Noël,
je décorerais tous les sapins
de mon quartier.
Dans mes arbres de Noël, il y aurait...

2 Si j'étais le père Noël ou la mère Noël,
je préparerais un réveillon de Noël.
Le repas serait composé de...

3 Si j'étais le père Noël ou la mère Noël,
je distribuerais des cadeaux
à tout le monde.
Je donnerais...

 Révise ton texte.

- As-tu accordé les déterminants avec les noms ?

des guirlandes   **des bonbons**

- As-tu accordé les adjectifs avec les noms ?

des lumières rouges

Je sais lire.

gn
araignée

Je sais écrire.

s ∫ f f f

- montagne
- ligne

- cher
- joyeux
- joyeuse
- doux
- douce

- nouveau
- nouvelle
- neuf
- joli

- vieux
- vieille
- sage
- pauvre

Théo a fait trois dessins. Il lui reste deux phrases à illustrer.
Illustre les deux phrases pour Théo.

Les dessins de Théo

1. Un phoque se lave dans une baignoire.

2. Un hérisson se peigne.

3. Une panthère s'amuse avec un magnétophone.

4. Une araignée boit du thé.

5. Un orignal transporte un thermos dans son sac à dos.

Père Noël,
je ne sais pas quoi faire!

Cher père Noël,

Pour Noël, ma fille veut avoir
un pistolet à eau.
Mon fils veut avoir
un costume de guerrier.

Je suis contre la violence.
Je ne veux pas que mes enfants
jouent à la guerre.

Quel conseil me donnez-vous?

Alfonso

Cher père Noël,

L'année dernière, ma soeur a reçu
une poupée qui parle et qui chante.
J'ai dit à mes parents que j'aimerais
recevoir une poupée, moi aussi.

Mes parents disent qu'une poupée
n'est pas un jouet pour un garçon.

Qu'en penses-tu?

Jordy, 7 ans

Cher père Noël,

L'année dernière, tu m'as donné
une auto téléguidée. Mais tu as oublié
de me donner des piles. Cette année,
peux-tu me donner une grosse caisse
remplie de piles en plus de mes cadeaux ?

Mes parents ne veulent plus
m'acheter de piles.

Qu'en penses-tu ?

Neigeline, 7 ans

Cher père Noël,

Pour Noël,
ma fille a demandé
un jeu vidéo.
Mon garçon a demandé
une guitare électrique.

Je trouve que ces jouets
coûtent trop cher.

Quel conseil me donnez-vous ?

Élaine

Réponds à la lettre de ton choix comme si tu étais le père Noël.
Compare ta réponse avec celles de tes amis.

Voici des idées de cadeaux à offrir à tes parents ou à tes amis.
Lis les textes pour savoir ce que les jumeaux et leur famille ont préparé.
Choisis un cadeau et fais-le.

Des cadeaux
pour tout le monde

1

Cadeau fait
par Mireille et Do Ming

Voici ce que Mireille et Do Ming ont récupéré
pour faire leur collage :

des morceaux de tissu	des cartes de Noël
des sacs de plastique	des autocollants
des sacs de papier	une photo
du papier d'emballage	du ruban
du papier de soie	un chou

Cadeau fait
par Laurent et Raphaëlle

Un jeu de dés

- bouton
- foulard
- chapeau
- bras
- corps
- nez

Règles du jeu

Nombre de joueurs : 2

Matériel

le dessin
du **Bonhomme de neige**
deux dés
des crayons de couleur

Démarche

Chaque joueur a un dessin et un dé.

**Consignes
pour le 1er joueur**

- *Lance ton dé.*
- *Colorie sur ton dessin
la partie du corps ou le vêtement
qui correspond au chiffre sur le dé.*

**Consignes
pour le 2e joueur**

- *Lance ton dé.*
- *Colorie sur ton dessin
la partie du corps ou le vêtement
qui correspond au chiffre sur le dé.*

Le joueur passe son tour lorsqu'il a déjà colorié
la partie du corps ou le vêtement qui correspond
au chiffre sur le dé.

Le gagnant est le joueur qui finit de colorier
son dessin en premier.

105

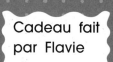

Un poème pour accompagner une peinture d'une artiste québécoise

L'ami de tous les enfants

Un jour, Suzy a décidé de se fabriquer un ami.
Bonhomme de neige est toute sa vie.
Chaque soir, elle embrasse son nez gelé
et lui raconte sa journée.

Bonhomme de neige est tellement fascinant.
Il est l'ami de tous les enfants.
Les enfants de sa rue viennent tous les jours.
Maintenant, Suzy a cinq amis dans sa cour.

Tableau de Pauline Paquin
intitulé **L'ami de tous les enfants**

4

Une photo-souvenir

Voici ce que Camille
a récupéré
pour faire son mobile :

- une photo
- du carton
- des bouts de laine
- des bonbons
- des autocollants

5

Un livre-cadeau

Voici comment Théo a procédé
pour faire son livre-cadeau.

Il a écrit son histoire.
Il a copié son texte
à l'ordinateur.

Pour illustrer son histoire,
il a choisi des images
dans une banque d'images
de l'ordinateur.

Il a demandé à son papa
d'agrapher son livre.

L'araignée
monte
dans l'arbre
de Noël.

L'araignée
décore
l'arbre
avec
sa toile.

LES ARAIGNÉES DE NOËL

Théo

Bonjour ! Je suis Superlux ! J'aide les enfants à penser.

C'est la nuit de Noël. Les papiers, les cartes, les rubans et les boîtes dorment sur le plancher.

Superlux voit d'avance ce qui pourrait arriver.

C'est le matin de Noël.

Et si on gardait tout ça ?

On pourrait faire des cadeaux !

Les artistes sont au travail.

J'ai fabriqué une boîte de rangement pour une grand-maman.

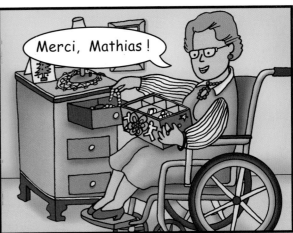

Merci, Mathias !

J'ai fabriqué un signet et un porte-crayons pour mon gardien Simon.

Merci, Daphna !

Je t'ai fabriqué un robot pour te faire oublier tes gros bobos.

Merci, Superlux !

Merci, Superlux, d'aider les enfants à penser !

Je sais lire.

ai

ai

aime

ei

ei

neige

Je sais écrire.

q q q

x x x

- laid
- laide
- faire
- le plaisir

- il aime
- la semaine
- la paire
- la maison

- la neige
- seize
- treize
- la reine
- le roi

Quels métiers font les personnages ?

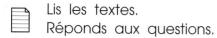
Lis les textes.
Réponds aux questions.

Reina corrige l'histoire écrite par Thi Som Mai.
Reina colle un petit père Noël dans le cahier de Thi Som Mai.
Quel métier fait Reina ?

Christophe enregistre le prix de l'achat sur sa caisse.
Christophe remet un dollar à monsieur Champigny.
Christophe place les beignes dans un sac.
Quel métier fait Christophe ?

Voici un extrait d'une chanson de Noël composée par Jacqueline Lemay. Essaie de l'apprendre par coeur.

Le Noël des légumes

Refrain

Dansons! chantons! Tous en rond, fêtons Noël!
Dansons! chantons! En attendant la cuisson.
Dansons! chantons! Tous en rond, fêtons Noël!
Dansons! chantons! Réveillons toute la maison!

1

Dans la cave où il fait froid,
les légumes ne dorment pas.
Quand soudain chez les radis,
quelqu'un dit à haute voix :
— Depuis le temps qu'on grelotte,
fêtons pour nous réchauffer
Noël qui est à nos portes.
Ce soir, faisons la veillée.

2

Sur le plancher de la cave,
ils avancent par deux, par quatre,
des p'tits pois jusqu'aux betteraves,
de la citrouille aux poivrons.
Dans leurs pots, les marinades
sont tout à fait réveillées.
Les cornichons, en ballade,
dans la ronde sont invités.

111

Denise Gaouette

Voici une histoire que j'ai composée pour toi. Lis cette histoire avec une grande personne.

La neige
qui ne voulait pas neiger !

Cette année-là,
dans le petit village Géométrique,
il y a de grands changements.
Le vieillard Formidable quitte son poste
de maire pour prendre sa retraite.
Tout le monde regrette son départ.
C'était un maire si sympathique !

Le nouveau maire, monsieur Protocole, est très sévère.
Partout dans le village, il pose des pancartes
pour interdire aux enfants de s'amuser
et aux adultes de rêver.

Jour après jour, le petit village
devient de plus en plus terne.
Il n'y a plus de place
pour le murmure du ruisseau,
pour le chant des oiseaux,
pour la caresse du vent,
pour le parfum des fleurs.
Même le soleil sent
qu'il n'est pas le bienvenu.
Aussi, il préfère se cacher
derrière les nuages.

FINIE LA RÊVERIE !

VITE ! AU TRAVAIL.

ENFANTS, VOS DEVOIRS D'ABORD, LE JEU ENSUITE !

Or, Noël approche.
Les enfants rêvent de plus en plus
aux plaisirs de la neige.
Un peu comme s'il avait deviné leurs pensées,
le maire convoque une réunion d'urgence.
À l'ordre du jour, un seul point :
la chasse à la neige.

La population intriguée décide de se rendre à la réunion.
L'assemblée a lieu dans la vaste maison circulaire.
On entend d'abord le cri lugubre d'une sirène.
Monsieur Protocole aime cette musique
qui ramène le calme et fait frémir les enfants.

Monsieur le maire commence
son discours sur un ton glacial :
— J'ai pris une décision.
    Je ne veux plus de neige dans mon village.
    Ce n'est bon qu'à distraire et à faire rêver.
    Je vais chasser toute trace de neige.
    J'ai prévu un budget spécial pour ces dépenses.

Les adultes acceptent la décision
du maire sans trop protester.
Mais les enfants sont très déçus.
Ils ne peuvent pas imaginer Noël sans la belle neige blanche.

Très tôt le lendemain matin,
le maire passe à l'attaque.
Devant le garage municipal,
il place son armée :
des puissants chasse-neige,
d'imposantes souffleuses
et des grosses pelles à neige.
Tout cet attirail sert à menacer la neige.
Il faut croire que monsieur le maire
a trouvé la bonne tactique,
car la neige refuse de tomber.

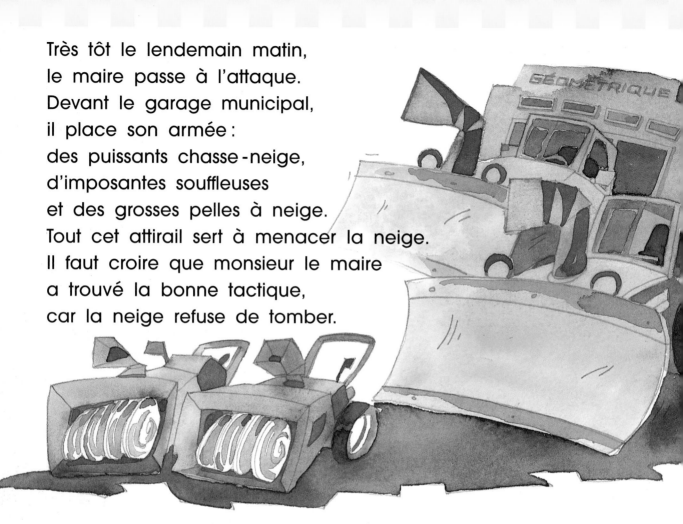

Plus Noël approche, plus les enfants sont tristes.
C'est alors que la petite Chanelle a une idée.
— La neige ne veut pas neiger,
  car elle est menacée.
  Elle tomberait peut-être
  si on le lui demandait.
  Voici mon plan...

Et c'est ainsi
qu'avec la complicité
du vieillard Formidable
les enfants mettent au point
un plan très astucieux.

Le jour suivant, à l'aube,
quelle surprise pour les villageois !
Face à l'attirail du maire,
les enfants ont dressé
sur deux rangées leurs traîneaux,
leurs skis et leurs raquettes.
Quelques grands-parents
ont aussi posté leurs motoneiges
devant le garage municipal.
Les enfants, emmitouflés de foulards,
de tuques et de mitaines,
regardent le ciel.

Un peu comme si elle avait compris
leur invitation, la neige se met alors à tomber.
D'abord, elle tombe timidement,
puis de plus en plus joyeusement.

Le maire Protocole, alerté par les bruits,
se précipite dans la rue.
Il n'en croit pas ses yeux.
— Ça ne peut pas continuer
    comme ça, hurle-t-il.
Menaçant, il fixe le vieillard Formidable,
et ses cris remplissent tout le village.

Mais voilà qu'un petit flocon effronté
décide de se poser sur le nez du maire.
Il y en a un autre, puis un autre...
et finalement monsieur le maire
est enveloppé d'un beau cortège blanc.

Le maire, entraîné par les enfants,
se met à danser dans la neige blanche.
Toute la matinée, le village retentit
de son gros rire heureux.
Il a retrouvé son coeur d'enfant.

Aide-mémoire

> **Voici mes trucs pour lire.**

1 Je dis dans mes mots
ce que je dois faire.

2 Je lis le titre et les intertitres.

3 Je regarde les illustrations.

4 Je pense à ce que je connais.

5 Je lis le texte
pour vérifier si j'ai bien deviné.

J'utilise les cinq (5) clés :

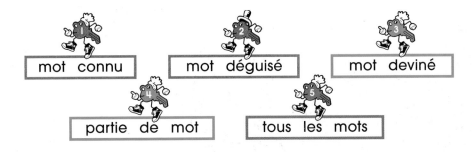

| mot connu | mot déguisé | mot deviné |

| partie de mot | tous les mots |

Lire, c'est avoir des images en tête.

Voici des sons et des syllabes.

ai
ai**me**

ail
chand**ail**

al
chev**al**

ar
arbre

as
c**as**tor

bl
ta**bl**eau

br
bravo

cl
clé

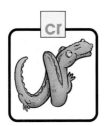
cr
crocodile

dr
dragon

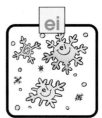
ei
n**ei**ge

eille
ab**eille**

euil
f**euil**le

eur
raton lav**eur**

fl
flûte

fr
fromage

gl
il **gl**isse

gn
arai**gn**ée

gr
grenouille

h
hibou

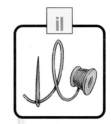
il
f**il**

ille
chen**ille**

Sons et syllabes

118

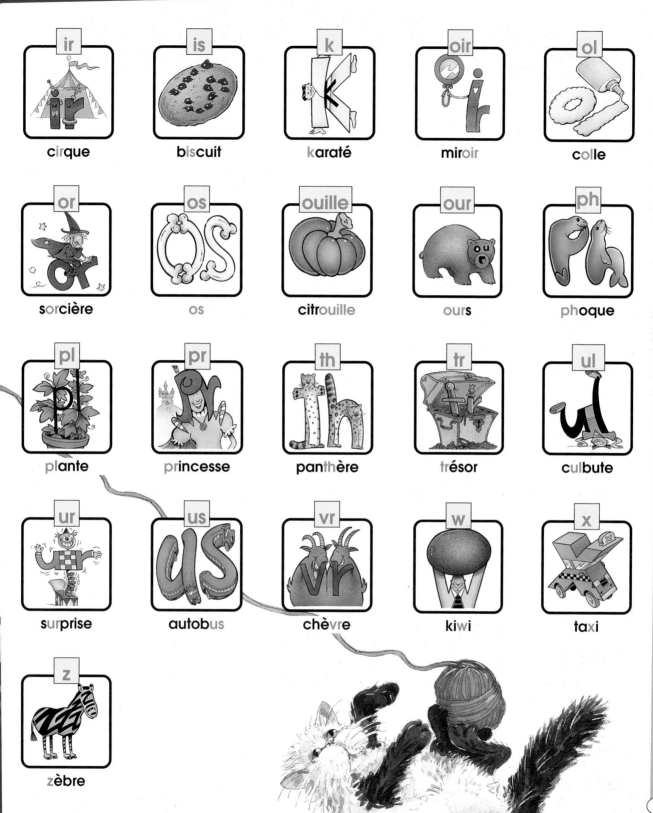

ir — cirque

is — biscuit

k — karaté

oir — miroir

ol — colle

or — sorcière

os — os

ouille — citrouille

our — ours

ph — phoque

pl — plante

pr — princesse

th — panthère

tr — trésor

ul — culbute

ur — surprise

us — autobus

vr — chèvre

w — kiwi

x — taxi

z — zèbre

Voici mes clés en lecture.

1 mot connu

J'ouvre grands mes yeux pour lire les mots connus.

2 mot déguisé

Je porte mes lunettes dorées pour lire les mots déguisés.

3 mot deviné

J'ai plein d'idées pour trouver les mots à deviner.

4 partie de mot

Je découpe en petits morceaux les mots nouveaux.

5 tous les mots

Je relis la phrase en entier pour avoir dans ma tête des images et des idées.

Voici mes trucs pour écrire.

1 **Je me prépare à écrire.**

 Je pense à ce que je veux écrire
et à qui je veux écrire.

 Je trouve des idées.

 Je place mes idées en ordre.

2 **J'écris mon brouillon.**

3 **Je corrige mon texte.**

 J'ai mis une majuscule
au début de chaque phrase.

J'ai mis un point
à la fin de chaque phrase.

 J'ai bien orthographié les mots.

 J'ai accordé les déterminants avec les noms.
J'ai accordé les adjectifs avec les noms.

4 **J'écris mon texte au propre.**

 Je forme bien mes lettres.
Je laisse un espace entre les mots.

5 **Je relis mon texte une dernière fois.**

Voici mes trucs pour me rappeler l'orthographe des mots.

Pour écrire	je pense à
chat	chatte
fort	forte
blanc	blanche
coeur	soeur
pain	main
famille	fille
carotte	caroe
oeuf	euf
chat	chaton
lit	litière